CUBE 3000 New Edition Plus
学習ノート Unit 2

本書は「キューブ3000　英単語・熟語　New Edition Plus」を効率よく学習するために作られた学習ノートです。「キューブ3000」に完全準拠しています。学習ノートはUnit 1からUnit 3の3冊で構成されており，それぞれが「キューブ3000」のUnit 1からUnit 3に対応しています。

見出し語を合計4回，ミニマルフレーズを2回（1回は空所補充）繰り返し書くことで，無理なく単語力を定着させることができます。空所の多い例文を書いて完成することで，英作文の力にもつながります。

このノートで，英語力の土台となる語彙力を身につけてください。

使い方

1　見出し語を2回書きます。（左ページ）
2　（　）に単語を書いてミニマル・フレーズを完成します。（左ページ）
3　日本語訳を参考に，（　）に単語を書いて例文を完成します。（右ページ）
4　CDで音声を聞き，音読します。CDの音声にかぶせて読む練習をすると力がつきます。

✤音声ダウンロード

見出し語・ミニマルフレーズ・例文の間にポーズが入った音声は，弊社ホームページより無料ダウンロードが可能です。音声の後に続いてくり返し音読する練習ができます。
http://www.biseisha.co.jp（パスワード：8285）

Unit 2 もくじ

※本書に解答書はありません。

Lesson 1　数量・順番　本冊　p. 126, 127

英語を書いて覚えましょう。そのあと，音声を聞いて音読しましょう。

	単語を2回書きましょう			ミニマル・フレーズを完成しましょう
970	billion 十億	______	______	(　　　　) of dollars 数十億ドル
971	depth 深さ	______	______	30 feet in (　　　　) 深さ30フィート
972	double 二重の	______	______	(　　　　) yellow lines 黄色の二重線
973	dozen ダース	______	______	(　　　　) of books 何十冊もの本
974	several 3～4の，数個の	______	______	(　　　　) books 数冊の本
975	latter 後者の方の	______	______	the (　　　　) half of winter 冬の後半
976	length 長さ	______	______	a (　　　　) of six meters 6メートルの長さ
977	million 百万	______	______	(　　　　) of people 数百万人
978	percent パーセント [%]	______	______	five (　　　　) consumption tax 5パーセントの消費税
979	plenty of たくさんの～	______	______	have (　　　　) (　　　　) rain 雨が多い
980	pair 1対	______	______	a (　　　　) of shoes 1足の靴
981	count 数える	______	______	(　　　　) up to ten 10まで数える
982	mass 大量，塊	______	______	a (　　　　) of soccer fans 大勢のサッカーファン

月　　日

	例文の日本語訳	例文を完成しましょう
970	数十億ドルがその計画に投資された.	(　　　)(　　　)(　　　) were spent on the project.
971	その井戸は深さ30フィートだ.	The well is 30 feet (　　　)(　　　).
972	黄色の二重線のところは駐車禁止です.	You can't park on (　　　)(　　　)(　　　).
973	ボブは月に何十冊もの本を読む.	Bob reads (　　　)(　　　)(　　　) a month.
974	私はいつも月に数冊の本を読もうと努める.	I always try to read (　　　)(　　　) a month.
975	冬の後半にはここではたくさん雪が降る.	We have a lot of snow here in the (　　　)(　　　)(　　　) winter.
976	彼の車は6メートルの長さです.	His car has a (　　　)(　　　) six meters.
977	数百万人が昨年海外旅行を楽しんだ.	(　　　)(　　　)(　　　) enjoyed foreign trips last year.
978	日本では5パーセントの消費税を払う.	We pay a five (　　　) consumption (　　　) in Japan.
979	6月は雨が多い.	We (　　　)(　　　)(　　　) rain in June.
980	靴を1足見せてください.	Show me (　　　)(　　　)(　　　) shoes.
981	10まで数えてください.	Please (　　　)(　　　)(　　　)(　　　).
982	大勢のサッカーファンが通りで暴れた.	A (　　　)(　　　) soccer fans acted violently in the street.

英語を書いて覚えましょう。そのあと，音声を聞いて音読しましょう。

No.	単語を2回書きましょう			ミニマル・フレーズを完成しましょう
983	alone １人で，１人の			leave me (　　　) 私を１人にしておく
984	spend 使う			(　　　) a lot of time studying English 英語の勉強に多くの時間を使う
985	various さまざまな			have (　　　) reasons for ～にはいろいろなわけがある
986	exchange 交換する			(　　　) dollars (　　　) yen ドルを円と交換する
987	garbage ごみ，生ごみ			take out the (　　　) ごみを出す
988	hungry 空腹な			go (　　　) 飢える
989	mix 混ぜ合わせる			(　　　) red paint with white paint 赤と白のペンキを混ぜる
990	raw 生の			(　　　) fish 生の魚
991	price 値段，代償			the (　　　) of this book この本の値段
992	blame 非難する			(　　　) you for being late 君を遅刻したことで責める
993	guard 守る，ガードマン			(　　　) him from attacks 彼を攻撃から守る
994	increase 増加，増やす，増える			be on the (　　　) 増加中である
995	violence 暴力，激しさ			the (　　　) of the typhoon 台風の猛威
996	compare 比較する			(　　　) A (　　　) B AをBと比較する

月　　日

	例文の日本語訳	例文を完成しましょう
983	1人にしてくれ. →構わないでくれ.	(　　　　) me (　　　　)!
984	日本の高校生は英語の勉強に多くの時間を使う.	High school students in Japan (　　　　) a lot of (　　　　) (　　　　) English.
985	私が欠席したのにはいろいろなわけがある.	I have (　　　　) (　　　　) (　　　　) my absence.
986	銀行でドルを円と交換できる.	We can (　　　　) dollars (　　　　) yen at a bank.
987	私の夫は毎週月曜日にごみを出す.	My husband (　　　　) (　　　　) the (　　　　) every Monday.
988	戦争中多くの人々が飢えた.	A lot of people (　　　　) (　　　　) during the war.
989	彼女は赤と白のペンキを混ぜた.	She (　　　　) red paint (　　　　) white paint.
990	私たちはよく生の魚を食べます.	We often eat (　　　　) (　　　　).
991	この本の値段はいくらですか.	What is the (　　　　) (　　　　) this book?
992	私は君を遅刻したことで責めているのではない.	I don't (　　　　) you (　　　　) (　　　　) (　　　　).
993	彼らは彼を攻撃から守った.	They (　　　　) him (　　　　) attacks.
994	カラスは多くの都市で増加中だ.	Crows (　　　　) (　　　　) (　　　　) (　　　　) in many cities.
995	彼らは台風の猛威に驚いた.	They were surprised at the (　　　　) (　　　　) the typhoon.
996	彼は自分のテストの答案を彼女のと比較した.	He (　　　　) his test answers (　　　　) hers.

英語を書いて覚えましょう。そのあと，音声を聞いて音読しましょう。

	単語を2回書きましょう			ミニマル・フレーズを完成しましょう
997	quality 質，資質	______	______	the (　　　) of a leader リーダーの資質
998	average 平均	______	______	above (　　　) 平均より上
999	proportion 割合，比例	______	______	in (　　　) to your efforts 君の努力に比例して
1000	attempt 試みる，試み	______	______	(　　　) to swim 泳ごうと試みる
1001	celebrate 祝う	______	______	(　　　) the victory 勝利を祝う
1002	choose 選ぶ	______	______	(　　　) him captain of our team 彼をチームの主将に選ぶ
1003	compete 競争する	______	______	(　　　) (　　　) one another for the prize 賞をめぐってお互いに競争する
1004	deserve ～に値する，当然だ	______	______	(　　　) first prize 優勝して当然だ
1005	exercise 運動，練習(問題)	______	______	get (　　　) 運動する
1006	extreme 極端(な)	______	______	go to (　　　) 極端なことをする
1007	goal 目標	______	______	your (　　　) in life あなたの人生の目標
1008	gymnastics 体操，体育	______	______	be interested in (　　　) 体操に興味がある
1009	hit 打つ，襲う	______	______	(　　　) a ball ボールを打つ

月　日

番号	例文の日本語訳	例文を完成しましょう
997	彼にはリーダーの資質がある.	He has the ( ) ( ) a ( ).
998	彼の成績は平均より上である.	His score is ( ) ( ).
999	君は努力に比例してお金を得るだろう.	You will get money ( ) ( ) ( ) your efforts.
1000	彼はその川を泳いで渡ろうと試みた.	He ( ) ( ) ( ) across the river.
1001	私たちはみんな勝利を祝った.	All of us ( ) the ( ).
1002	彼らは彼をチームの主将に選んだ.	They ( ) him ( ) of our team.
1003	彼らはその賞をめぐってお互いに競争した.	They ( ) ( ) ( ) ( ) for the prize.
1004	あなたは優勝して当然だ.	You ( ) ( ) ( ).
1005	医者は彼にもっと運動するように忠告した.	The doctor advised him to ( ) more ( ).
1006	彼は試合に勝つために極端なことをする.	He ( ) ( ) ( ) to win a game.
1007	あなたの人生の目標は何ですか.	What is your ( ) ( ) ( )?
1008	息子は体操に興味がある.	My son is ( ) ( ) ( ).
1009	その少年はバットでボールを打った.	The boy ( ) a ( ) with a bat.

Lesson 4 スポーツ

本冊 p. 132, 133

英語を書いて覚えましょう。そのあと，音声を聞いて音読しましょう。

	単語を２回書きましょう			ミニマル・フレーズを完成しましょう
1010	motion 運動，しぐさ			make (　　　　) 合図［しぐさ］をする
1011	offense 攻撃，不愉快な物事			an (　　　　) to the eye 目障り
1012	outdoor 屋外の，野外の			(　　　　) sports 屋外スポーツ
1013	postpone 延期する			(　　　　) the game 試合を延期する
1014	practice 実行(する)，練習(する)			(　　　　) makes perfect. 練習を積めば完全になる.→習うより慣れろ.《諺》
1015	prize 賞			win first (　　　　) １等賞をとる
1016	race 競走，人種			people of different (　　　　) さまざまな人種の人々
1017	role 役割			play the (　　　　) of a captain 主将の役割を果たす
1018	select 選ぶ			be (　　　　) as captain キャプテンに選ばれる
1019	shoot 撃つ，シュートする			(　　　　) a bear dead 熊を撃ち殺す
1020	stretch 伸ばす			(　　　　) a rope tight ロープをピンと張る
1021	throw 投げる			(　　　　) a fastball 速球を投げる
1022	tough きつい，骨の折れる			(　　　　) training きつい練習

例文の日本語訳	例文を完成しましょう
1010 彼女は僕に手で合図した.	She (　　　) (　　　) at me with her hands.
1011 あの高い煙突は目障りだ.	That tall chimney is an (　　　) (　　　) (　　　) (　　　).
1012 彼は屋外スポーツが好きだ.	He likes (　　　) (　　　).
1013 彼らは試合を月曜日まで延期することに決めた.	They decided to (　　　) the (　　　) until Monday.
1014 練習を積めば完全になる. →習うより慣れろ. 《諺》	(　　　) (　　　) (　　　).
1015 彼女はコンテストで1等賞をとった.	She (　　　) (　　　) (　　　) in the contest.
1016 世界にはさまざまな人種の人々がいる.	There are people (　　　) (　　　) (　　　) in the world.
1017 ケビンは主将の役割を果たした.	Kevin (　　　) the (　　　) (　　　) a captain.
1018 ケンはキャプテンに選ばれた.	Ken (　　　) (　　　) (　　　) captain.
1019 ハンターは熊を撃ち殺した.	The hunter (　　　) a bear (　　　).
1020 彼らは我々を締め出すためにロープをピンと張った.	They (　　　) a rope (　　　) to keep us out.
1021 松坂選手はすごい速球を投げる.	Matsuzaka (　　　) a great (　　　).
1022 きつい練習が勝利につながった.	The (　　　) (　　　) led to victory.

Lesson 5 友情 本冊 p. 134, 135

英語を書いて覚えましょう。そのあと，音声を聞いて音読しましょう。

No.	単語を2回書きましょう			ミニマル・フレーズを完成しましょう
1023	favor 親切な行為，支持	______	______	ask a (　　　　) お願いをする
1024	fellow 奴，仲間	______	______	a very good (　　　　) いい奴
1025	firm 堅い，会社	______	______	a (　　　　) friendship 堅い友情
1026	friendly 親切な，愛想がよい	______	______	be (　　　　) to ～ ～に親切にする
1027	grateful 感謝している	______	______	be (　　　　) to you あなたに感謝している
1028	greet 挨拶する	______	______	(　　　　) the teachers 先生たちに挨拶する
1029	helpful 役に立つ	______	______	(　　　　) advice 役に立つアドバイス
1030	helpless お手上げの，無力な	______	______	feel (　　　　) お手上げだと感じる
1031	ignore 無視する，知らない	______	______	(　　　　) my advice 私の忠告を無視する
1032	maintain 維持する	______	______	(　　　　) a friendship 友情を維持する
1033	misunderstand 誤解する	______	______	(　　　　) each other お互いを誤解する
1034	promise 約束（する）	______	______	break one's (　　　　) 約束を破る
1035	real 本物の，現実の	______	______	a (　　　　) friend 真の友達

月　　日

	例文の日本語訳	例文を完成しましょう
1023	お願いがあるのですが.	May I ( ) ( ) ( ) of you?
1024	彼はとてもいい奴だよ.	He is a very ( ) ( ).
1025	彼らは堅い友情を築いた.	They formed a ( ) ( ).
1026	老人には親切にしなければならない.	We have to ( ) ( ) ( ) old people.
1027	手伝ってくれてあなたに感謝しています.	I'm ( ) ( ) ( ) for helping me.
1028	この学校の生徒はみんな先生たちに挨拶する.	Every student in this school ( ) the ( ).
1029	彼女はいつも役に立つアドバイスをしてくれる.	She always gives me ( ) ( ).
1030	交通渋滞に我々はお手上げだと感じた.	We ( ) ( ) in the traffic jam.
1031	彼女は私の忠告を無視した.	She ( ) my ( ).
1032	我々の友情を維持することを望みます.	I hope we will ( ) a ( ).
1033	彼らはお互いを誤解していた.	They ( ) each other.
1034	約束を破るな.	Don't ( ) your ( ).
1035	私は彼を真の友達だと思った.	I thought him a ( ) ( ).

英語を書いて覚えましょう。そのあと，音声を聞いて音読しましょう。

番号	単語を2回書きましょう			ミニマル・フレーズを完成しましょう
1036	filled いっぱいの	____	____	(　　　)(　　　) coffee コーヒーがいっぱい入って
1037	delicious おいしい	____	____	a (　　　) meal おいしい食事
1038	dessert デザート	____	____	serve ice cream for (　　　) デザートにアイスクリームを出す
1039	dish 料理，皿	____	____	a wonderful pasta (　　　) すばらしいパスタ料理
1040	favorite お気に入りの(人・物)	____	____	my (　　　) food お気に入りの食べ物
1041	flavor 風味	____	____	a strong (　　　) of garlic 強いニンニクの風味
1042	liquid 液体(の)	____	____	(　　　) food 流動食
1043	meal 食事	____	____	a light (　　　) 軽い食事
1044	meat 肉	____	____	tough (　　　) 堅い肉
1045	mixture 混合物	____	____	a (　　　) of eggs and sugar 砂糖と卵を混ぜたもの
1046	smell 匂いをかぐ，匂い	____	____	(　　　) the coffee コーヒーの匂いをかぐ
1047	sweet 甘い	____	____	a (　　　) cake 甘いケーキ
1048	taste 味がする，味	____	____	(　　　) good おいしい
1049	variety いろいろ，多様性	____	____	a (　　　) of food いろいろな食べ物

月　　日

	例文の日本語訳	例文を完成しましょう
1036	気をつけて．コップにコーヒーがいっぱい入ってるよ．	Be careful. The cup (　　) (　　) (　　) coffee.
1037	おいしい食事をどうもありがとう．	Thank you for the (　　) (　　).
1038	そのレストランはデザートにアイスクリームを出す．	The restaurant (　　) ice cream (　　) (　　).
1039	彼女は私たちにすばらしいパスタ料理を作ってくれた．	She cooked us a wonderful (　　) (　　).
1040	私のお気に入りの食べ物はチキンのカレー煮だ．	My (　　) (　　) is curried chicken.
1041	その食べ物は強いニンニクの風味がする．	The food has a (　　) (　　) (　　) garlic.
1042	その赤ん坊は流動食を食べた．	The baby had (　　) (　　).
1043	私はいつも夕方には軽い食事をとる．	I have a (　　) (　　) every evening.
1044	私は堅い肉は嫌いです．	I hate (　　) (　　).
1045	砂糖と卵を混ぜたものをボールに入れなさい．	Put a (　　) (　　) eggs (　　) sugar into the bowl.
1046	目を覚ましてコーヒーの匂いをかげ．→現実を見ろ．	Wake up and (　　) the (　　).
1047	彼は甘いケーキは嫌いだ．	He doesn't like (　　) (　　).
1048	彼のスパゲッティはおいしい．	His spaghetti (　　) (　　).
1049	その店にはいろいろな食べ物がある．	There is a (　　) (　　) (　　) in the shop.

Lesson 7　機能語（副詞）

本冊　p. 138, 139

英語を書いて覚えましょう。そのあと，音声を聞いて音読しましょう。

No.	単語を2回書きましょう			ミニマル・フレーズを完成しましょう
1050	aloud 声を立てて	______	______	laugh (　　　) 声を立てて笑う
1051	quietly 静かに，そっと	______	______	move (　　　) そっと動く
1052	badly とても，下手に，ひどい	______	______	miss her (　　　) 彼女にとても会いたい
1053	clearly 明らかに	______	______	speak (　　　) はっきりと話す
1054	deliberately 慎重に，わざと	______	______	speak (　　　) 慎重に話す
1055	easily 簡単に	______	______	solve the problem (　　　) 簡単に問題を解く
1056	exactly 正確に，ぴったりと	______	______	(　　　) six people 正確に6人
1057	gradually 次第に	______	______	(　　　) improve 次第に良くなる
1058	immediately すぐに	______	______	answer (　　　) すぐに答える
1059	in a hurry 急いで	______	______	do it (　　　) (　　　) (　　　) 急いでそれをする
1060	late 遅く	______	______	come home (　　　) 遅く帰宅する
1061	forever 永久に	______	______	live there (　　　) そこに永住する

月　　日

	例文の日本語訳	例文を完成しましょう
1050	観客は声を立てて笑った.	The audience (　　　) (　　　).
1051	そのネコはネズミを捕まえるためそっと動いた.	The cat (　　　) (　　　) to catch a mouse.
1052	ジャックはナンシーにとても会いたかった.	Jack (　　　) Nancy (　　　).
1053	もっとはっきり話してくれませんか.	Would you (　　　) more (　　　)?
1054	彼は常に慎重に話すようにしている.	He always tries to (　　　) (　　　).
1055	彼女はいつも数学の問題を簡単に解く.	She always (　　　) math problems (　　　).
1056	この仕事には正確に6人要る.	We need (　　　) (　　　) (　　　) for this job.
1057	彼の成績は次第に良くなった.	His score (　　　) (　　　).
1058	私はすぐに答えることはできない.	I can't (　　　) (　　　).
1059	十分な注意を払い，急いでそれをしてはいけないよ.	Take enough care and don't (　　　) (　　　) (　　　) (　　　) (　　　).
1060	彼は夜遅く帰宅した.	He (　　　) (　　　) (　　　) at night.
1061	彼はそこに永住することに決めた.	He decided to (　　　) (　　　) (　　　).

Lesson 8 makeの仲間，sayの仲間 本冊 p. 140, 141

英語を書いて覚えましょう。そのあと，音声を聞いて音読しましょう。

No.	単語を2回書きましょう			ミニマル・フレーズを完成しましょう
1062	produce 産出する，引き起こす	______	______	(　　　) a great amount of energy 大量のエネルギーを産出する
1063	establish 設立する	______	______	be (　　　) in 1850 1850年に設立された
1064	create 創造する	______	______	be (　　　) equal 平等に（神によって）造られている
1065	publish 出版する	______	______	(　　　) a new novel 新しい小説を出版する
1066	invent 発明する	______	______	(　　　) the cellular phone 携帯電話を発明する
1067	develop 開発する，発達させる	______	______	(　　　) a new medicine 新薬を開発する
1068	form 形，形作る	______	______	a new (　　　) of education 新しい形の教育
1069	persuade 説得して～させる	______	______	(　　　) him to give up smoking 彼を説得して煙草を止めさせる
1070	explain 説明する	______	______	(　　　) the theory その理論を説明する
1071	pronounce 発音する	______	______	(　　　) this word この単語を発音する
1072	introduce 紹介する，導入する	______	______	(　　　) tea from China 中国からお茶を紹介する
1073	describe 説明する，描写する	______	______	(　　　) how to *do* ～の仕方を説明する
1074	criticize 批判する	______	______	(　　　) my father (　　　) ～ ～の理由で父を批判する
1075	request 要求する，依頼	______	______	(　　　) an interview 面会を要求する

月　　日

例文の日本語訳	例文を完成しましょう
1062 太陽は大量のエネルギーを産出する.	The sun (　　　　) a great amount of (　　　　).
1063 ここは1850年に設立されたレストランです.	This restaurant (　　)(　　　　)(　　) 1850.
1064 すべての人々は平等に造られている.	All people (　　　　)(　　　　)(　　　　).
1065 彼は最近新しい小説を出版した.	He (　　　　) a new (　　　　) recently.
1066 誰が携帯電話を発明したんだろう.	Who (　　　　) the (　　　　)(　　　　)?
1067 その会社は新薬を開発したところだ.	The company has (　　　　) a new (　　　　).
1068 この学校は新しい形の教育を行う.	This school provides a new (　　　　)(　　)(　　　　).
1069 私が彼を説得して煙草を止めさせるつもりだ.	I'll (　　　　) him (　　)(　　　　)(　　) smoking.
1070 先生はその理論を生徒に説明した.	The teacher (　　　　) the (　　　　) to the students.
1071 この単語はどう発音するの.	How should I (　　　　)(　　　　)(　　　　)?
1072 仏教の僧侶が日本に中国からお茶を紹介した.	Buddhist priests (　　　　) tea (　　　　) China to Japan.
1073 彼の先生はその問題の解き方を説明した.	His teacher (　　　　)(　　)(　　) solve the problem.
1074 母はよく父を怠け者といって批判する.	My mother often (　　　　) my father (　　) being lazy.
1075 彼女は社長に面会を要求した.	She (　　　　) an (　　　　) with the president.

Lesson 9 say の仲間 本冊 p. 142, 143

英語を書いて覚えましょう。そのあと，音声を聞いて音読しましょう。

No.	単語を2回書きましょう			ミニマル・フレーズを完成しましょう
1076	beg 求める	＿＿＿	＿＿＿	(　　　) his teacher (　　　) more time 先生にもっと時間を求める
1077	communicate 意思を伝える	＿＿＿	＿＿＿	(　　　) by gestures 身振りで意思を伝える
1078	reply 返答する	＿＿＿	＿＿＿	(　　　) (　　　) a question 質問に答える
1079	discuss ～について話し合う	＿＿＿	＿＿＿	(　　　) the matter その問題について話し合う
1080	declare 宣言する	＿＿＿	＿＿＿	(　　　) independence 独立を宣言する
1081	argue 議論する，主張をする	＿＿＿	＿＿＿	(　　　) against the new plan 新計画に反対の主張をする
1082	mention 口に出して言う	＿＿＿	＿＿＿	(　　　) it それを口に出して言う
1083	warn 警告する	＿＿＿	＿＿＿	(　　　) you 君に警告する
1084	claim 主張(する)	＿＿＿	＿＿＿	(　　　) that ～ ～と主張する
1085	suggest 提案する，暗示する	＿＿＿	＿＿＿	(　　　) that we should ～ ～しようと提案する
1086	insist ～だと主張する，～すべきと要求する	＿＿＿	＿＿＿	(　　　) on marrying him 彼と結婚すると言い張る
1087	express 表現する，急行	＿＿＿	＿＿＿	(　　　) oneself in French フランス語で思いを表現する
1088	forecast 予報（する）	＿＿＿	＿＿＿	the weather (　　　) 天気予報
1089	excuse 弁解，大目に見る，許す	＿＿＿	＿＿＿	an (　　　) for being late 遅刻の弁解

月　　日

	例文の日本語訳	例文を完成しましょう
1076	彼は先生にもっと時間を求めた.	He ( ) his teacher ( ) ( ) ( ).
1077	彼らはお互いに身振りで意思を伝えた.	They ( ) with each other ( ) ( ).
1078	君に我々の質問に答えてもらいたい.	We'd like you to ( ) ( ) our ( ).
1079	明日その問題について話し合いましょう.	We'll ( ) the ( ) tomorrow.
1080	アメリカは1776年にイギリスからの独立を宣言した.	America ( ) ( ) from Britain in 1776.
1081	彼は新計画に反対の主張をした.	He ( ) ( ) the new plan.
1082	どういたしまして.	Don't ( ) ( ).
1083	(君に警告するぞ。→) いいかい, 気をつけろよ.	I ( ) ( ).
1084	彼女はパーティーで彼を見たと主張した.	She ( ) ( ) she saw him at the party.
1085	彼は私に外食しようと提案した.	He ( ) to me that we ( ) eat out.
1086	彼女は彼と結婚すると言い張った.	She ( ) ( ) ( ) him.
1087	彼女はフランス語で思いを表現することができる.	She can ( ) herself ( ) ( ).
1088	天気予報は明日は雨だと言っている.	The ( ) ( ) says it will rain tomorrow.
1089	それは単に遅刻の弁解に過ぎない.	That's only an ( ) ( ) ( ) ( ).

Lesson 10 車 本冊 p. 144, 145

英語を書いて覚えましょう。そのあと，音声を聞いて音読しましょう。

	単語を2回書きましょう			ミニマル・フレーズを完成しましょう
1090	repair 修理する			(　　　) his car 彼の車を修理する
1091	fix 修理する，据え付ける			(　　　) a flat tire パンクを修理する
1092	economical 経済的な，むだのない			small is (　　　) 小さな物は経済的
1093	factory 工場			a car (　　　) 自動車工場
1094	gas/gasoline ガソリン			a (　　　) station ガソリンスタンド
1095	industry 産業，勤勉			auto (　　　) 自動車産業
1096	broad 広い，広々とした			a (　　　) avenue 広々とした大通り
1097	countryside 田舎			drive into the (　　　) 車で田舎に行く
1098	garage 車庫，ガレージ			with a (　　　) ガレージ付きの
1099	narrow せまい			(　　　) streets せまい通り
1100	passage 通行，通路			no (　　　) 通行禁止
1101	straight まっすぐな[に]			go (　　　) まっすぐに進む
1102	drive 運転する，駆り立てる			drink and (　　　) 飲酒運転をする
1103	officer 将校，役人			a police (　　　) 警察官

例文の日本語訳	例文を完成しましょう
1090 彼は明日，車を修理するつもりだ.	He will ( ) his ( ) tomorrow.
1091 パンクを修理してくれないかい.	Can you ( ) a ( ) ( )?
1092 小型車は経済的である.	A ( ) car is ( ).
1093 父は自動車工場で働いている.	My father works at a ( ) ( ).
1094 彼はガソリンスタンドを経営している.	He runs a ( ) ( ).
1095 日本の自動車産業は拡大し続けている.	Japan's ( ) ( ) continues to expand.
1096 その銀行は広々とした大通りにある.	The bank is located on a ( ) ( ).
1097 私は休みの日にはよく車で田舎に行く.	I often ( ) into the ( ) on holidays.
1098 彼はガレージ付きの家に住んでいる.	He lives in a house ( ) a ( ).
1099 この地域にはせまい通りがたくさんある.	There are many ( ) ( ) in this area.
1100 これより先は通行禁止です.	There is ( ) ( ) beyond this point.
1101 まっすぐに行って左に曲がりなさい.	( ) ( ) and turn left.
1102 飲酒運転をするな.	Don't ( ) ( ) ( ).
1103 私は帰宅途中で警察官に呼び止められた.	I was stopped by a ( ) ( ) on my way home.

Lesson 11 産業・会社

本冊 p. 146, 147

英語を書いて覚えましょう。そのあと，音声を聞いて音読しましょう。

番号	単語を2回書きましょう			ミニマル・フレーズを完成しましょう
1104	agriculture 農業	______	______	be engaged in (　　　) 農業に携わる
1105	benefit 利益	______	______	the public (　　　) 公共の利益
1106	amount 量，達する	______	______	a large (　　　) of water 大量の水
1107	quantity 量	______	______	a large (　　　) of water 大量の水
1108	secondary 2次的な，副次的な	______	______	a (　　　) product 副産物
1109	branch 枝，支店	______	______	a (　　　) office 支店
1110	brave 勇敢な	______	______	as (　　　) as a lion ライオンのように勇敢な
1111	business 仕事	______	______	on (　　　) 仕事で[商用で]
1112	career 経歴	______	______	have a long teaching (　　　) 長い教職歴を持つ
1113	company 会社，仲間	______	______	an insurance (　　　) 保険会社
1114	condition 条件，状況，調子	______	______	working (　　　) 労働条件[労働環境]
1115	cost 費用がかかる	______	______	It (　　　) 15,000 yen to *do* ～するのに15,000円かかる
1116	crop 作物，収穫(高)	______	______	gather a (　　　) 作物を収穫する
1117	diligent 熱心な	______	______	be (　　　) in one's work 仕事に熱心である

月　日

	例文の日本語訳	例文を完成しましょう
1104	農業に携わる人が少なくなってきている.	Fewer and fewer people are engaged in (　　　).
1105	それは公共の利益に反する.	It is against the (　　　) (　　　).
1106	工場では大量の水が必要だ.	They need a (　　　) (　　　) (　　　) water in the factory.
1107	その工場は大量の水を必要としている.	The factory needs a (　　　) (　　　) (　　　) water.
1108	それはその発見の副産物だ.	That's a (　　　) (　　　) of the discovery.
1109	その会社は支店を3つ持っている.	The company has three (　　　) (　　　).
1110	私の上司はライオンのように[ものすごく]勇敢だ.	My boss is (　　　) (　　　) (　　　) a lion.
1111	父は仕事で大阪へ行った.	Father went to Osaka (　　　) (　　　).
1112	彼には長い教職歴がある.	He has a long (　　　) (　　　).
1113	彼は保険会社に勤めている.	He works for an (　　　) (　　　).
1114	私たちは労働条件を改善しなければならない.	We must improve (　　　) (　　　).
1115	東京へ飛行機で行くのに15,000円かかる.	It (　　　) 15,000 yen (　　　) (　　　) to Tokyo.
1116	作物を収穫するのは大変な仕事だ.	To (　　　) a (　　　) is a tough job.
1117	父は仕事に熱心である.	My father (　　　) (　　　) (　　　) his work.

英語を書いて覚えましょう。そのあと，音声を聞いて音読しましょう。

	単語を2回書きましょう			ミニマル・フレーズを完成しましょう
1118	duty 義務			a sense of ( ) 義務感
1119	economic 経済の			high ( ) growth 高度経済成長
1120	economy 経済，経済体制			a capitalist ( ) 資本主義経済
1121	electricity 電気			run on ( ) 電気で動く
1122	employ 雇う			( ) a lot of workers 多数の労働者を雇う
1123	engage 従事させる			be ( ) in trade 貿易に従事している
1124	engineer 技師			an electrical ( ) 電気技師
1125	farmer 農場主，農民			a poor ( ) 貧しい農民
1126	financial 財政の			the ( ) world 財界
1127	goods 商品			sporting ( ) スポーツ用品
1128	growth 成長			the ( ) of Japan's economy 日本経済の成長
1129	hire 雇う，賃借りする			( ) three men 3人の男を雇う
1130	income 収入，所得			a high ( ) 高い収入
1131	industrial 産業の			( ) progress 産業の発展

月　　日

	例文の日本語訳	例文を完成しましょう
1118	彼女は強い義務感を持っている.	She has a strong (　　　) (　　　) (　　　).
1119	その国は高度経済成長をとげた.	The country had (　　　) (　　　) (　　　).
1120	中国は資本主義経済を採用し始めた.	China began to adopt a (　　　) (　　　).
1121	この時計は電気で動く.	This clock (　　　) (　　　) (　　　).
1122	我々は多数の労働者を雇うことができない.	We can't (　　　) a lot of (　　　).
1123	私の兄は外国貿易に従事している.	My brother (　　　) (　　　) (　　　) foreign trade.
1124	父は電気技師です.	My father is an (　　　) (　　　).
1125	彼は貧しい農民だった.	He was a (　　　) (　　　).
1126	財界はその計画に反対だった.	The (　　　) (　　　) was against the plan.
1127	あの店ではスポーツ用品を売っている.	They sell (　　　) (　　　) at that shop.
1128	日本の経済成長は驚くべきものだった.	The (　　　) (　　　) Japan's (　　　) was surprising.
1129	あと 3 人の男を雇う必要がある.	We need to (　　　) three more (　　　).
1130	彼は高い収入を得ている.	He has a (　　　) (　　　).
1131	アジアには急速な産業の発展をしてきた国がある.	Some countries in Asia have made rapid (　　　) (　　　).

Lesson 13 産業・会社 本冊 p. 150, 151

英語を書いて覚えましょう。そのあと，音声を聞いて音読しましょう。

	単語を2回書きましょう			ミニマル・フレーズを完成しましょう
1132	job 仕事，職業			get a (　　　　) 就職する
1133	labor 労働			pay for one's (　　　　) 労働に見合う賃金を払う
1134	machine 機械			a washing (　　　　) 洗濯機
1135	market 市場			go to (　　　　) 市場へ買い物に行く
1136	material 材料，物質の			raw (　　　　) 原材料
1137	meeting 会合			attend a (　　　　) 会議に出席する
1138	office 職場，会社			go to the (　　　　) 会社[職場]に行く
1139	organize 組織する，起こす			(　　　　) a company 会社を起こす
1140	path 道			the (　　　　) to success 成功への道
1141	chief 主な，最高位の，長			the (　　　　) cook コック長
1142	product 生産物[品]			agricultural (　　　　) 農産物
1143	production 生産，製造			mass (　　　　) 大量生産
1144	profit 利益			make a (　　　　) 利益を上げる
1145	progress 進歩，発展(する)			make rapid (　　　　) 急速な発展をとげる

例文の日本語訳	例文を完成しましょう
1132 彼は病院に就職した.	He (　　　) a (　　　) in a hospital.
1133 我々の労働に見合うだけの賃金が払われていない.	We are not well (　　　)(　　　) our (　　　).
1134 私たちの洗濯機は故障している.	Our (　　　)(　　　) is out of order.
1135 そのおばあさんは毎週月曜に市場へ買い物に行く.	The old woman (　　　)(　　　)(　　　) every Monday.
1136 私たちは原材料を発展途上国から輸入する.	We import (　　　)(　　　) from developing countries.
1137 私は午後は会議に出席しなければならない.	I have to (　　　) a (　　　) in the afternoon.
1138 彼は会社に行った.	He (　　　)(　　　) the (　　　).
1139 彼は会社を起こした.	He has (　　　) a (　　　).
1140 これが成功への道だ.	This is the (　　　)(　　　)(　　　).
1141 あの女性がコック長です.	That woman is the (　　　)(　　　).
1142 ここの農産物は何ですか.	What are the (　　　)(　　　) here ?
1143 今は大量生産の時代だ.	This is the age of (　　　)(　　　).
1144 彼女は利益を上げるためにそれを行った.	She did it to (　　　) a (　　　).
1145 戦後日本は急速な経済発展をとげた.	Japan (　　　)(　　　) economic (　　　) after the war.

英語を書いて覚えましょう。そのあと，音声を聞いて音読しましょう。

No.	単語を2回書きましょう			ミニマル・フレーズを完成しましょう
1146	quit をやめる	＿＿＿＿	＿＿＿＿	(　　　　) one's job 辞職する
1147	salary 給料	＿＿＿＿	＿＿＿＿	have a low (　　　　) 給料が安い
1148	wage 賃金	＿＿＿＿	＿＿＿＿	get a (　　　　) of 1,000 yen an hour 時給千円をもらう
1149	secretary 秘書	＿＿＿＿	＿＿＿＿	ask one's (　　　　) to *do* 秘書に～するように頼む
1150	structure 構造，建築物	＿＿＿＿	＿＿＿＿	economic (　　　　) 経済構造
1151	succeed 成功する，後を継ぐ	＿＿＿＿	＿＿＿＿	(　　　　) in life 出世する
1152	success 成功	＿＿＿＿	＿＿＿＿	a great (　　　　) 大当たり
1153	system 組織，制度	＿＿＿＿	＿＿＿＿	a social (　　　　) 社会制度
1154	task 仕事	＿＿＿＿	＿＿＿＿	a hard (　　　　) 困難な仕事
1155	technique 技法・技術	＿＿＿＿	＿＿＿＿	a special (　　　　) 特別な技術
1156	technology 科学技術	＿＿＿＿	＿＿＿＿	the latest (　　　　) 最新の科学技術
1157	trade 貿易，商売	＿＿＿＿	＿＿＿＿	foreign (　　　　) 外国貿易
1158	wealth 富	＿＿＿＿	＿＿＿＿	better than (　　　　) 富にまさる
1159	certain 確かな，ある一定の	＿＿＿＿	＿＿＿＿	It is (　　　　) that ～ ～は確かだ

月　日

例文の日本語訳	例文を完成しましょう
1146 その技術者は辞職した.	The engineer (　　) his (　　).
1147 兄の給料は安い.	My brother has a (　　)(　　).
1148 その若者は時給千円をもらっている.	The young man (　　) a (　　)(　　) 1,000 yen an hour.
1149 彼は秘書に手紙を出すように頼んだ.	He (　　) his (　　)(　　) send a letter.
1150 日本の経済構造は時代遅れだ.	Japan's (　　)(　　) is out of date.
1151 誰もが出世することができるわけではない.	Not all can (　　)(　　)(　　).
1152 あの映画は大当たりだった.	That movie was a (　　)(　　).
1153 彼らは異なる社会制度を持っている.	They have a different (　　)(　　).
1154 それは困難な仕事だ.	That's a (　　)(　　).
1155 それをやるには特別な技術がいる.	You need a (　　)(　　) to do it.
1156 この車には最新の科学技術が使われている.	The (　　)(　　) is used in this car.
1157 彼は外国貿易に従事している.	He is engaged in (　　)(　　).
1158 健康は富にまさる.《諺》	Health is (　　)(　　)(　　).
1159 君が成功するのは確かだ.	It is (　　) that you will be a success.

Lesson 15 時間・季節

本冊 p. 154, 155

英語を書いて覚えましょう。そのあと，音声を聞いて音読しましょう。

No.	単語を2回書きましょう			ミニマル・フレーズを完成しましょう
1160	moment 瞬間	________	________	in a (　　　　) すぐに［一瞬のうちに］
1161	instant 瞬間，即時の	________	________	in an (　　　　) すぐに［一瞬のうちに］
1162	autumn 秋	________	________	in the (　　　　) of '88 1988年の秋に
1163	ancient 古代の	________	________	(　　　　) civilization 古代文明
1164	beginning 初め，始まり	________	________	at the (　　　　) of April 4月の初めに
1165	schedule 予定(である)	________	________	be (　　　　) to *do* ～する予定である
1166	century 世紀	________	________	after half a (　　　　) 半世紀後に
1167	cycle 周期，移り変わり	________	________	the (　　　　) of the seasons 季節の移り変わり
1168	midnight 真夜中	________	________	at (　　　　) 真夜中に
1169	sudden 突然の	________	________	a (　　　　) change in the weather 天気の急変
1170	period 期間，時代，授業時間	________	________	the (　　　　) of mild weather 穏やかな天気が続く期間
1171	previous 以前の	________	________	on the (　　　　) day その前日に
1172	quarter 4分の1	________	________	in a (　　　　) of an hour 15分たったら

月　　日

例文の日本語訳	例文を完成しましょう
1160 すぐにそこへ戻ってくるよ.	I'll come back to that point (　　) (　　) (　　).
1161 彼女はすぐに気が変わった.	She changed her mind (　　) (　　) (　　).
1162 1988年の秋に私たちは出会った.	We met (　　) the (　　) (　　) '88.
1163 ギリシャは古代文明の中心地の1つだった.	Greece was one of the centers of (　　) civilization.
1164 4月の初めに沖縄へ出かけるつもりです.	We will visit Okinawa at the (　　) of April.
1165 彼女は10時に着く予定だ.	She (　　) (　　) (　　) arrive at ten.
1166 彼らは半世紀後にお互いに会った.	They met each other (　　) (　　) (　　) (　　).
1167 日本人は季節の移り変わりに敏感だ.	Japanese people are sensitive to the (　　) (　　) the (　　).
1168 真夜中に電話が鳴った.	The telephone rang (　　) (　　).
1169 天気が急変した.	There was a (　　) (　　) (　　) the (　　).
1170 穏やかな天気が続く期間はここではとても短い.	The (　　) (　　) (　　) (　　) is very short here.
1171 その前日に警官が私のところに来た.	The policeman came to see me (　　) (　　) (　　) (　　).
1172 15分たったら電話を下さい.	Call me (　　) (　　) (　　) (　　) an hour.

Lesson 16 場所・距離・方向

本冊 p. 156, 157

英語を書いて覚えましょう。そのあと，音声を聞いて音読しましょう。

No.	単語を 2 回書きましょう			ミニマル・フレーズを完成しましょう
1173	inside 内部(に)	______	______	(　　　　) an envelope 封筒の中に
1174	area 地域	______	______	a desert (　　　　) 砂漠地帯
1175	atmosphere 雰囲気，大気	______	______	the good (　　　　) of the party パーティーのいい雰囲気
1176	beach 海辺	______	______	a (　　　　) umbrella ビーチパラソル
1177	block 区画	______	______	two (　　　　) from the school 学校から 2 区画のところ
1178	border 境界，国境	______	______	cross the (　　　　) 国境を越える
1179	bottom 底，一番下	______	______	from the (　　　　) of one's heart 心の底から
1180	bush やぶ	______	______	beat around the (　　　　) (やぶの周りをたたく→) 遠まわしに言う
1181	close 近くに[の]，閉じる，終わり	______	______	be (　　　　) to the lake 湖の近くにある
1182	end 端，終わり，終わる	______	______	the (　　　　) of the rope ロープの端
1183	continent 大陸	______	______	a new (　　　　) 新大陸
1184	deep 深い	______	______	walk in (　　　　) snow 深い雪の中を歩く

月　　日

	例文の日本語訳	例文を完成しましょう
1173	封筒の中に鍵を入れておくよ.	I'll leave the keys (　　　　) an (　　　　).
1174	オーストラリアには大きな砂漠地帯がある.	There is a large (　　　　) (　　　　) in Australia.
1175	私はパーティーのいい雰囲気が好きだ.	I like the good (　　　　) (　　　　) the (　　　　).
1176	私たちはビーチパラソルを海岸へ持って行った.	We took a (　　　　) (　　　　) to the seashore.
1177	郵便局は学校から２区画のところにある.	The post office stands two (　　　　) (　　　　) the (　　　　).
1178	私たちは国境を越えた.	We (　　　　) the (　　　　).
1179	彼は心の底から「ありがとう」と言った.	He said "Thank you" (　　　　) the (　　　　) (　　　　) his (　　　　).
1180	彼女はやぶの周りをたたいた. →遠まわしに言った.	She (　　　　) (　　　　) (　　　　) (　　　　).
1181	そのホテルは湖の近くにある.	The hotel (　　　　) (　　　　) (　　　　) the (　　　　).
1182	男性はロープの端をつかもうとした.	The man tried to grasp the (　　　　) (　　　　) the (　　　　).
1183	コロンブスは新大陸に到達した.	Columbus arrived at a (　　　　) (　　　　).
1184	私の娘は深い雪の中を歩くのが好きだ.	My daughter likes (　　　　) (　　　　) (　　　　) (　　　　).

Lesson 17　場所・距離・方向

本冊　p. 158, 159

英語を書いて覚えましょう。そのあと，音声を聞いて音読しましょう。

	単語を2回書きましょう			ミニマル・フレーズを完成しましょう
1185	direction 方向	＿＿＿＿	＿＿＿＿	in the (　　　　) of the gate 門の方へ
1186	distance 距離	＿＿＿＿	＿＿＿＿	at a (　　　　) of five miles 5マイル離れたところに
1187	distant 遠くの	＿＿＿＿	＿＿＿＿	be quite (　　　　) from here ここからかなり離れている
1188	edge 端，刀先	＿＿＿＿	＿＿＿＿	at the (　　　　) of a town 町外れに
1189	exit 出口	＿＿＿＿	＿＿＿＿	go through the (　　　　) 出口を通り抜ける
1190	field 畑，競技場	＿＿＿＿	＿＿＿＿	work in (　　　　) 畑で働く
1191	front 前方	＿＿＿＿	＿＿＿＿	in (　　　　) of the hotel ホテルの前で
1192	hall 会館，事務所，広間，廊下	＿＿＿＿	＿＿＿＿	a city (　　　　) 市役所
1193	height 高度	＿＿＿＿	＿＿＿＿	at a (　　　　) of 2,000 feet 高度2,000フィートで
1194	horizon 地平線，視野	＿＿＿＿	＿＿＿＿	broaden one's (　　　　) 視野を広げる
1195	huge 巨大な	＿＿＿＿	＿＿＿＿	a (　　　　) building 巨大な建物
1196	indoor 屋内の	＿＿＿＿	＿＿＿＿	an (　　　　) sport 屋内スポーツ

月　　日

	例文の日本語訳	例文を完成しましょう
1185	その犬は門の方へ走って行った.	The dog ran in the (　　　　)(　　　)the (　　　　).
1186	私の息子は5マイル離れたところに住んでいる.	My son lives (　　　) a (　　　　)(　　　) five miles.
1187	彼の学校はここからかなり離れている.	His school is (　　　　)(　　　　)(　　　　)(　　　　).
1188	彼らは町外れに住んでいる.	They live (　　　) the (　　　　)(　　　) a town.
1189	男の子たちはみんな，出口を通り抜けた.	All the boys (　　　　)(　　　　) the (　　　　).
1190	農夫たちは畑で働く.	Farmers (　　　　)(　　　)(　　　　).
1191	彼はホテルの前でジェーンを待っていた.	He was waiting for Jane (　　　)(　　　　)(　　　) the (　　　　).
1192	その会合は市役所で開かれた.	The meeting was held at the (　　　　)(　　　　).
1193	この飛行機は高度2,000フィートで飛行中です.	This airplane is flying (　　　) a (　　　　)(　　　) 2,000 feet.
1194	外国旅行は視野を広げてくれるはずだ.	A foreign trip will (　　　　) your (　　　　).
1195	あの巨大な建物を見てごらん.	Look at that (　　　　)(　　　　).
1196	卓球は室内スポーツだ.	Table tennis is an (　　　　)(　　　　).

英語を書いて覚えましょう。そのあと，音声を聞いて音読しましょう。

No.	単語を2回書きましょう			ミニマル・フレーズを完成しましょう
1197	island 島	______	______	a tropical (　　　) 熱帯の島
1198	isolated 孤立している	______	______	become (　　　) 孤立するようになる
1199	landscape 風景	______	______	a beautiful (　　　) 美しい風景
1200	scene 眺め，景色，場面	______	______	(　　　) of rural life 田園生活の景色
1201	middle 中間	______	______	in the (　　　) of summer 夏の真っ盛りに
1202	northern 北の	______	______	in the (　　　) part of the island 島の北部で
1203	opposite 反対側の，反対の	______	______	on the (　　　) side of the street 通りの向かい側
1204	position 位置，地位，状況	______	______	in a difficult (　　　) 困った状況に
1205	settle 住み着く，解決する	______	______	(　　　) in America アメリカに住み着く
1206	source 源，原因	______	______	the (　　　) of the river 川の源
1207	surface 表面	______	______	the (　　　) of the earth 地球の表面
1208	surround 取り囲む	______	______	be (　　　) by ～ ～に囲まれている

月　　日

	例文の日本語訳	例文を完成しましょう
1197	この鳥は熱帯の島に住んでいる.	This bird lives on a (　　　) (　　　).
1198	日本は世界から孤立するようになってはならない.	Japan must not (　　　) (　　　) from the rest of the world.
1199	彼女は美しい風景を写真に撮った.	She took a picture of the (　　　) (　　　).
1200	田園生活の景色が好きだ.	I love (　　　) (　　　) (　　　) (　　　).
1201	彼は夏の真っ盛りに働かねばならなかった.	He had to work (　　　) (　　　) (　　　) (　　　) summer.
1202	島の北部でたくさんのチョウを見ることができる.	You can find many butterflies (　　　) the (　　　) (　　　) (　　　) the island.
1203	郵便局は通りの向かい側にある.	The post office is (　　　) the (　　　) (　　　) (　　　) the street.
1204	彼は困った状況にいた.	He was (　　　) a (　　　) (　　　).
1205	ヨーロッパ人がアメリカに住み着き始めた.	Europeans began to (　　　) (　　　) (　　　).
1206	その川の源はどこですか.	Where is the (　　　) (　　　) the (　　　)?
1207	地球の表面の大部分は水に覆われている.	Most of the (　　　) (　　　) the (　　　) is covered with water.
1208	その島は海に囲まれている.	The island (　　　) (　　　) (　　　) the sea.

英語を書いて覚えましょう。そのあと，音声を聞いて音読しましょう。

	単語を2回書きましょう			ミニマル・フレーズを完成しましょう
1209	admit しぶしぶ認める，入学を許す			(　　　) one's guilt 自分の罪を認める
1210	appeal 懇願（する）			(　　　) for help 助けを求める
1211	involved 関係している，夢中になっている			be (　　　) in the crime 犯罪に関係している
1212	carry 運ぶ			(　　　) a gun 銃を携帯する
1213	court 裁判所，法廷			be taken to (　　　) 法廷に持ち込まれる
1214	crime 罪			prevent (　　　) 犯罪を阻止する
1215	decrease 減らす，減る，減少			(　　　) crimes 犯罪を減らす
1216	drown おぼれて死ぬ[なせる]			(　　　) in the river 川でおぼれて死ぬ
1217	evidence 証拠			(　　　) that he stole the money 彼がお金を盗んだという証拠
1218	explosion 爆発			a bomb (　　　) 爆弾の爆発
1219	factor 要因			a chief (　　　) in crime 犯罪の主な要因
1220	general 一般的な，将軍			the (　　　) opinion 世論
1221	guilty 罪を犯している			be (　　　) of stealing 窃盗の罪を犯している

月　　日

	例文の日本語訳	例文を完成しましょう
1209	彼は自分の罪を認めている.	He (　　　) his (　　　).
1210	彼は私に助けを求めた.	He (　　　) to me (　　　) (　　　).
1211	彼はその犯罪に関係していたと言われている.	He is said to have (　　　) (　　　) (　　　) the crime.
1212	アメリカでは銃を携帯する人がいる.	Some people (　　　) a (　　　) in the USA.
1213	その問題は法廷に持ち込まれた.	The matter (　　　) (　　　) (　　　) (　　　).
1214	私たちは警察に犯罪阻止を望む.	We want the police to (　　　) (　　　).
1215	警察は犯罪を減らす努力をした.	The police made efforts to (　　　) (　　　).
1216	その女の子は川でおぼれて死んだ.	The girl (　　　) (　　　) the (　　　).
1217	彼がお金を盗んだという証拠はない.	There is no (　　　) that he (　　　) the (　　　).
1218	爆弾の爆発で3人が死んだ.	Three people were killed in a (　　　) (　　　).
1219	貧困が犯罪の主な要因だった.	Poverty was a (　　　) (　　　) in (　　　).
1220	犯罪が問題であるというのが世論だ.	The (　　　) (　　　) is that crime is a problem.
1221	あの男性は窃盗の罪を犯している.	That man (　　　) (　　　) (　　　) stealing.

Lesson 20 犯罪・事件

本冊 p. 164, 165

英語を書いて覚えましょう。そのあと，音声を聞いて音読しましょう。

No.	単語を2回書きましょう			ミニマル・フレーズを完成しましょう
1222	gun 銃	＿＿＿＿	＿＿＿＿	(　　　　) control 銃の規制
1223	innocent 犯していない，無実の	＿＿＿＿	＿＿＿＿	be (　　　　) of the crime その罪を犯していない
1224	law 法律(学)	＿＿＿＿	＿＿＿＿	observe the (　　　　) 法律を守る
1225	lawyer 弁護士	＿＿＿＿	＿＿＿＿	consult a (　　　　) 弁護士に相談する
1226	police 警察	＿＿＿＿	＿＿＿＿	the (　　　　) 警察
1227	murder 殺す，殺人	＿＿＿＿	＿＿＿＿	be (　　　　) by terrorists テロリストに殺される
1228	perfect 完全な，完成する	＿＿＿＿	＿＿＿＿	the (　　　　) crime 完全犯罪
1229	proof 証明	＿＿＿＿	＿＿＿＿	(　　　　) of one's honesty ～が誠実である証拠
1230	relate 関連づける	＿＿＿＿	＿＿＿＿	(　　　　) crime to poverty 犯罪を貧困と関連づける
1231	risk 危険	＿＿＿＿	＿＿＿＿	take a (　　　　) 危険を冒す
1232	scatter ばらまく，散らす	＿＿＿＿	＿＿＿＿	(　　　　) the crowd 群衆を追い散らす
1233	seek 捜し求める	＿＿＿＿	＿＿＿＿	(　　　　) information 情報を求める
1234	thorough 徹底的な，完全な	＿＿＿＿	＿＿＿＿	conduct (　　　　) research 徹底的な調査を行なう

月　　日

例文の日本語訳	例文を完成しましょう
1222 米国では銃の規制が必要だ.	They need (　　　) (　　　) in the USA.
1223 私は無実だ.	I am (　　　) (　　　) the (　　　).
1224 私たちは法律を守らなければならない.	We must (　　　) the (　　　).
1225 彼はよい弁護士に相談した.	He (　　　) a good (　　　).
1226 警察を呼べ.	Call (　　　) (　　　)!
1227 警察官がテロリストに殺された.	The police officers (　　　) (　　　) (　　　) terrorists.
1228 完全犯罪は不可能だ.	The (　　　) (　　　) is impossible.
1229 彼は自分が誠実であるという証拠を示した.	He has given (　　　) (　　　) his (　　　).
1230 犯罪を貧困と関連づける人もいる.	Some people (　　　) crime (　　　) poverty.
1231 彼は多額の金を失いかねない危険を冒した.	He (　　　) the (　　　) that he might lose a lot of money.
1232 警察は群衆を追い散らした.	The police (　　　) the (　　　).
1233 警察はその女性についての情報を求めている.	The police are (　　　) (　　　) about the woman.
1234 彼はこの事件に関して徹底的な調査を行った.	He (　　　) (　　　) (　　　) into this case.

Lesson 21 対立・協調 本冊 p. 166, 167

英語を書いて覚えましょう。そのあと，音声を聞いて音読しましょう。

No.	単語を2回書きましょう			ミニマル・フレーズを完成しましょう
1235	agree 賛成する，～に同意する	______	______	(　　　)(　　　) you あなたに賛成する
1236	annoy 悩ます	______	______	be (　　　) by headaches 頭痛に悩まされる
1237	argument 議論，口論	______	______	turn into an (　　　) 口論になる
1238	army 軍隊，陸軍	______	______	join the (　　　) 軍隊に入る
1239	attack 攻撃(する)	______	______	(　　　) the enemy 敵を攻撃する
1240	battle 戦い	______	______	the (　　　) for survival 生きるための戦い
1241	bother 困らせる	______	______	(　　　) to call わざわざ電話する
1242	challenge 難問，挑戦，挑む	______	______	meet a (　　　) 難問に対処する
1243	complain 不平を言う	______	______	(　　　) about the service サービスのことで不平を言う
1244	defend 防ぐ	______	______	(　　　) one's country against enemies 敵から国を守る
1245	order 命令する，注文，秩序	______	______	(　　　) him to get out 彼に退出を命令する
1246	deny 否定する	______	______	(　　　) the rumor うわさを否定する
1247	problem 問題	______	______	solve a (　　　) 問題を解決する
1248	disagree 意見が合わない	______	______	(　　　)(　　　) him on politics 政治について彼と意見が合わない

月　日

	例文の日本語訳	例文を完成しましょう
1235	私はあなたに賛成する.	I (　　　　) (　　　　) you.
1236	私はずっと頭痛に悩まされています.	I have (　　　　) (　　　　) (　　　　) headaches.
1237	彼女との話し合いは常に口論になる.	Every discussion with her (　　　　) (　　　　) an (　　　　).
1238	彼は軍隊に入りたくなかった.	He didn't want to (　　　　) the (　　　　).
1239	彼らは敵を攻撃した.	They (　　　　) the (　　　　).
1240	動物は生きるための戦いに勝たなければいけない.	Animals must win the (　　　　) (　　　　) (　　　　).
1241	わざわざ折り返し電話をしていただかなくて結構です.	Don't (　　　　) (　　　　) (　　　　) me back.
1242	政府は財政上の難問に対処する必要がある.	The government needs to (　　　　) a financial (　　　　).
1243	多くの人がサービスのことで不平を言った.	A lot of people (　　　　) (　　　　) the (　　　　).
1244	我々は敵から我が国を守った.	We (　　　　) our (　　　　) (　　　　) enemies.
1245	先生は彼に退出を命じた.	The teacher (　　　　) him (　　　　) (　　　　) (　　　　).
1246	その女優はそのうわさを否定した.	The actress (　　　　) the (　　　　).
1247	彼女はその難しい問題をいとも簡単に解決した.	She (　　　　) the difficult (　　　　) very easily.
1248	私は政治について彼と意見が合わない.	I (　　　　) (　　　　) him on politics.

Lesson 22 対立・協調

本冊 p. 168, 169

英語を書いて覚えましょう。そのあと，音声を聞いて音読しましょう。

	単語を２回書きましょう			ミニマル・フレーズを完成しましょう
1249	enemy 敵	______	______	defeat the (　　　　) 敵を打ち破る
1250	fight 戦う，戦い	______	______	(　　　　) with our enemy 敵と戦う
1251	quarrel 口げんか（をする）	______	______	have a (　　　　) 口げんかをする
1252	neglect しない，無視する，怠慢	______	______	(　　　　) one's schoolwork 勉強をしない
1253	obey 従う	______	______	(　　　　) school regulations 校則に従う
1254	prevent 邪魔する	______	______	(　　　　) us (　　　　) arriving 我々が到着するのを邪魔する（→着けない）
1255	protect 保護する，守る	______	______	(　　　　) oneself against enemies 敵から身を守る
1256	protest 抗議(する)	______	______	(　　　　) against the use of nuclear weapons 核兵器使用に抗議する
1257	puzzle 困らせる，パズル	______	______	be (　　　　) by the question その問題に閉口する
1258	refuse 断る	______	______	(　　　　) his offer to help 彼の手伝うという申し出を断る
1259	difficulty 困難，難事	______	______	without (　　　　) 難なく
1260	struggle 戦う	______	______	(　　　　) against difficulties 難事と戦う
1261	trouble 苦労，困難，困らせる	______	______	be in (　　　　) 困っている
1262	weapon 武器	______	______	dangerous (　　　　) 危険な武器

月　　日

	例文の日本語訳	例文を完成しましょう
1249	我々には敵を打ち破るチャンスはほとんどなかった.	We had little chance to (　　　　) the (　　　　).
1250	私たちは敵と戦った.	We (　　　　) (　　　　) our (　　　　).
1251	子供たちはよく口げんかをした.	Our children often (　　　　) (　　　　).
1252	ジョンは勉強をしない.	John (　　　　) his (　　　　).
1253	日本の高校生は校則に従わなければならない.	High school students in Japan have to (　　　　) school (　　　　).
1254	我々は交通事故で予定の時刻に着けなかった.	The traffic accident (　　　　) us (　　　　) (　　　　) on time.
1255	敵から身を守る方法を我々は知っておくべきだ.	We should know how to (　　　　) ourselves (　　　　) enemies.
1256	人々は核兵器の使用に抗議した.	People (　　　　) (　　　　) the (　　　　) (　　　　) nuclear weapons.
1257	私はその問題には閉口した.	I (　　　　) (　　　　) (　　　　) the question.
1258	彼女は彼の手伝うという申し出を断った.	She (　　　　) his (　　　　) (　　　　) (　　　　).
1259	彼女はその問題を難なく解いた.	She solved the problem (　　　　) (　　　　).
1260	彼女は難事と戦った.	She (　　　　) (　　　　) (　　　　).
1261	彼は困っていた.	He (　　　　) (　　　　) (　　　　).
1262	ナイフや銃は危険な武器である.	Knives and guns are (　　　　) (　　　　).

Lesson 23 機能語　本冊 p. 170, 171

英語を書いて覚えましょう。そのあと，音声を聞いて音読しましょう。

番号	単語を2回書きましょう			ミニマル・フレーズを完成しましょう
1263	certainly きっと，もちろん			(　　　　) not! もちろん違う.
1264	probably たぶん〜だろう			
1265	maybe ひょっとすると〜かもしれない			
1266	perhaps ひょっとすると〜かもしれない			
1267	possibly もしかすると[ひょっとすると]〜かもしれない			
1268	indeed 確かに，実に			Yes, (　　　　). 確かにその通り.
1269	entirely まったく			(　　　　) wrong まったく間違って
1270	quite まったく，どちらかというと			(　　　　) right まったく正しい
1271	especially 特に			be (　　　　) good at English とりわけ英語が得意である
1272	particularly 特に			(　　　　) in spring 特に春に
1273	merely ただ単に，ほんの			(　　　　) a beginner ほんの初心者
1274	simply ただ単に，簡単に			(　　　　) because 〜 単に〜だからです
1275	slightly 少し(だけ)			be (　　　　) drunk 少し酔っている
1276	a bit ちょっぴり			(　　)(　　) difficult ちょっぴり難しい

月　　日

	例文の日本語訳	例文を完成しましょう
1263	もちろん違う.	(　　　)(　　　)!
1264	たぶん午後には雨が降るよ.	(　　　) it's going to rain this afternoon.
1265	彼は来るかもしれないし，来ないかもしれない.	(　　　) he'll come, (　　　) he won't.
1266	ひょっとすると彼は来るかもしれない.	(　　　) he will come.
1267	ひょっとして駅まで車で送っていただけないでしょうか.	Could you (　　　) give me a ride to the station?
1268	確かにその通り.	Yes, (　　　).
1269	彼はそれについてはまったく間違っている.	He's (　　　)(　　　) about it.
1270	まったく君の言うとおりだ.	You are (　　　)(　　　).
1271	彼女はとりわけ英語が得意である.	She is (　　　)(　　　)(　　　) English.
1272	田舎が好きだ. 特に春が.	I like the country, (　　　) in spring.
1273	彼はほんの初心者だ.	He's (　　　) a (　　　).
1274	私が休んだのは単に風邪を引いたからです.	I was absent, (　　　)(　　　) I had a cold.
1275	その男性は少し酔っていた.	The man was (　　　)(　　　).
1276	その問題はちょっぴり難しい.	The question is (　　　)(　　　)(　　　).

Lesson 24 喜 / 怒 / 哀 / 楽　本冊 p. 172, 173

英語を書いて覚えましょう。そのあと，音声を聞いて音読しましょう。

	単語を２回書きましょう			ミニマル・フレーズを完成しましょう
1277	admire 賞賛する	＿＿＿＿	＿＿＿＿	(　　　　) her for her courage 彼女の勇気を賞賛する
1278	afraid 恐れて，残念ながら	＿＿＿＿	＿＿＿＿	I am (　　　　) ～ 残念ながら～
1279	angry 怒って	＿＿＿＿	＿＿＿＿	get (　　　　) (　　　　) him 彼に腹を立てる
1280	anxious 心配して	＿＿＿＿	＿＿＿＿	be (　　　　) (　　　　) the result 結果を心配している
1281	excited 興奮している	＿＿＿＿	＿＿＿＿	be (　　　　) at the news その知らせに大喜びしている
1282	exciting 面白い	＿＿＿＿	＿＿＿＿	an (　　　　) game 面白い試合
1283	bored 退屈している	＿＿＿＿	＿＿＿＿	a (　　　　) expression 退屈した表情
1284	boring 退屈な	＿＿＿＿	＿＿＿＿	a (　　　　) game 退屈な競技
1285	calm 静かな	＿＿＿＿	＿＿＿＿	stay (　　　　) 落ち着く
1286	cheerful 快活な	＿＿＿＿	＿＿＿＿	a (　　　　) girl 快活な少女
1287	comfortable 快適な	＿＿＿＿	＿＿＿＿	feel (　　　　) 快適に感じる
1288	confident 自信のある	＿＿＿＿	＿＿＿＿	in a (　　　　) voice 自信のある声で
1289	crazy 気の狂った，夢中の	＿＿＿＿	＿＿＿＿	be (　　　　) about dancing ダンスに夢中である

月　　日

例文の日本語訳	例文を完成しましょう
1277 彼らは彼女の勇気を賞賛した.	They (　　　　) her (　　　) her (　　　　).
1278 残念ながら私は会議に出席できません.	I (　　　) (　　　　) I can't attend the meeting.
1279 彼女は彼に腹を立てた.	She (　　　) (　　　　) (　　　) him.
1280 彼女は試験の結果を心配していた.	She (　　　) (　　　　) (　　　　) the (　　　　) of the exam.
1281 彼はその知らせに大喜びしている.	He (　　　) (　　　　) (　　　) the (　　　　).
1282 それは面白い試合だった.	It was an (　　　　) (　　　　).
1283 彼は退屈した表情をしていた.	He had a (　　　　) (　　　　).
1284 ゴルフは退屈な競技だ.	Golf is a (　　　　) (　　　　).
1285 もし犬が吠えはじめたら落ち着きなさい.	(　　　　) (　　　　) if the dog starts to bark.
1286 彼女は快活な少女だ.	She is a (　　　　) (　　　　).
1287 彼女は快適に感じた.	She (　　　　) (　　　　).
1288 彼は自信のある声で演説をした.	He made a speech (　　　) a (　　　　) (　　　　).
1289 妹はダンスに夢中である.	My sister (　　　) (　　　　) (　　　　) (　　　　).

Lesson 25 喜 / 怒 / 哀 / 楽

本冊 p. 174, 175

英語を書いて覚えましょう。そのあと，音声を聞いて音読しましょう。

No.	単語を2回書きましょう			ミニマル・フレーズを完成しましょう
1290	cruel 非情な，残酷な	________	________	be (　　　　) to animals 動物に対して残酷である→動物を虐待する
1291	curious 好奇心のある	________	________	be (　　　　) about this business この仕事に興味がある
1292	delight 大喜び，喜ばせる	________	________	to one's (　　　　) うれしいことには
1293	disappoint 失望させる，裏切る	________	________	(　　　　) me 私を失望させる
1294	disappointed がっかりして	________	________	be (　　　　) at the news その知らせにがっかりする
1295	discourage 落胆させる	________	________	Don't be (　　　　). 落胆してはいけない.
1296	disgusting 嫌悪すべき，むかむかさせるような	________	________	a (　　　　) smell むかむかする臭い
1297	dislike 嫌う	________	________	(　　　　) big cities 大都会を嫌う
1298	displease 不愉快にさせる	________	________	(　　　　) us 私たちは不愉快になる
1299	dreadful 恐ろしい	________	________	a (　　　　) fire 恐ろしい火事
1300	embarrass 恥ずかしい思いをさせる	________	________	be (　　　　) by a rude question 失礼な質問に恥ずかしい思いをする
1301	emotion 感情	________	________	appeal to her (　　　　) 彼女の感情に訴える
1302	attractive 魅力的な	________	________	an (　　　　) smile 魅力的なほほえみ
1303	fond 好きだ，楽しい	________	________	be (　　　　) of Tom トムが好きだ

月　　日

	例文の日本語訳	例文を完成しましょう
1290	彼は動物を虐待する.	He (　　) (　　) (　　) (　　).
1291	彼はこの仕事に興味がある.	He (　　) (　　) (　　) this (　　).
1292	うれしいことには妹が結婚するんだ.	(　　) my (　　), my sister is getting married.
1293	その映画は私を失望させた.	The movie (　　) me.
1294	私はその知らせにがっかりした.	I (　　) (　　) (　　) the news.
1295	落胆してはいけない.	Don't (　　) (　　).
1296	私はタバコのむかむかする臭いが嫌いだ.	I don't like the (　　) (　　) of cigarettes.
1297	母は大都会の生活を嫌う.	My mother (　　) the life of a big city.
1298	騒音で私たちは不愉快になった.	The noise (　　) us.
1299	私たちは恐ろしい火事にあった.	We had a (　　) (　　).
1300	彼女は失礼な質問に恥ずかしい思いをした.	She (　　) (　　) (　　) the rude question.
1301	君の話は彼女の感情に訴えた.	Your story (　　) (　　) her (　　).
1302	彼女は魅力的にほほえんだ.	She had an (　　) (　　).
1303	私，トムが好きなの.	I (　　) (　　) (　　) Tom.

Lesson 26 喜 / 怒 / 哀 / 楽 本冊 p. 176, 177

英語を書いて覚えましょう。そのあと，音声を聞いて音読しましょう。

	単語を 2 回書きましょう	ミニマル・フレーズを完成しましょう
1304	fascinate ＿＿＿＿ ＿＿＿＿ うっとりさせる	be (　　　　) うっとりする
1305	fear ＿＿＿＿ ＿＿＿＿ 恐怖，恐れる	turn pale with (　　　　) 恐怖で真っ青になる
1306	fearful ＿＿＿＿ ＿＿＿＿ 恐れている	be (　　　　) of ghosts 幽霊を恐れている
1307	frightened ＿＿＿＿ ＿＿＿＿ おびえた	be (　　　　) おびえる
1308	frustration ＿＿＿＿ ＿＿＿＿ 挫折，失意，欲求不満	in (　　　　) がっかりして
1309	glad ＿＿＿＿ ＿＿＿＿ うれしい	(　　　　) (　　　　) hear ～ ～を聞いてうれしい
1310	grief ＿＿＿＿ ＿＿＿＿ 深い悲しみ	feel (　　　　) 悲しむ
1311	hate ＿＿＿＿ ＿＿＿＿ 憎む，嫌う	(　　　　) onions 玉ネギが嫌い
1312	hatred ＿＿＿＿ ＿＿＿＿ 憎悪	feeling of (　　　　) 憎しみの気持ち
1313	hesitate ＿＿＿＿ ＿＿＿＿ ためらう	(　　　　) about what to do どうすべきかためらう
1314	horrible ＿＿＿＿ ＿＿＿＿ ぞっとするほど恐ろしい	a (　　　　) dream ぞっとする夢
1315	impatient ＿＿＿＿ ＿＿＿＿ 我慢できない	get (　　　　) 我慢できなくなる
1316	irritate ＿＿＿＿ ＿＿＿＿ イライラさせる	get (　　　　) イライラする
1317	jealousy ＿＿＿＿ ＿＿＿＿ 焼きもち，嫉妬	show one's (　　　　) 焼きもちを焼く

月　　日

	例文の日本語訳	例文を完成しましょう
1304	彼女はその音楽にうっとりした.	She (　　) (　　) by the music.
1305	その少女は恐怖で真っ青になった.	The girl (　　) (　　) (　　) (　　).
1306	たいていの子供は幽霊を恐れている.	Most children (　　) (　　) (　　) (　　).
1307	彼女はその物音におびえた.	She (　　) (　　) at the sound.
1308	彼はチームが負けるのを見てがっかりした.	He watched his team lose (　　) (　　).
1309	私はそのことを聞いてうれしい.	I'm (　　) (　　) (　　) that.
1310	悲しいな.	I (　　) (　　).
1311	私は玉ネギが大嫌いだ.	I just (　　) (　　).
1312	私たちの間には憎しみの気持ちがなかった.	There was no (　　) (　　) (　　) between us.
1313	彼らはどうすべきかためらった.	They (　　) about (　　) (　　) (　　).
1314	私は昨夜ぞっとする夢を見た.	I had a (　　) (　　) last night.
1315	交通渋滞のせいで我慢できなくなった.	We (　　) (　　) because of the heavy traffic.
1316	タバコがないと彼はイライラする.	He (　　) (　　) when he has no cigarettes.
1317	彼女は焼きもちを焼かなかった.	She didn't (　　) her (　　).

Lesson 27 喜 / 怒 / 哀 / 楽 本冊 p. 178, 179

英語を書いて覚えましょう。そのあと，音声を聞いて音読しましょう。

No.	単語を２回書きましょう			ミニマル・フレーズを完成しましょう
1318	joy 喜び	________	________	with (　　　) うれしくて
1319	laugh 笑う	________	________	(　　　) (　　　) his mistake 彼の失敗を笑う
1320	laughter 笑い	________	________	burst into (　　　) 突然笑い出す
1321	lonely 寂しい，孤独な	________	________	get (　　　) 寂しくなる
1322	mood 気分	________	________	be in no (　　　) for a walk 散歩に出かける気分ではない
1323	nervous 緊張した，不安な	________	________	feel (　　　) 緊張している［あがっている］
1324	pity 同情，残念な事	________	________	That's a (　　　)! (That's too bad!) それは残念なことだ！
1325	pleasant 楽しい	________	________	(　　　) to the ear 聞いて楽しい
1326	pleased 喜んで	________	________	be (　　　) (　　　) ～に喜んでいる
1327	pleasure 喜び，楽しいこと	________	________	(It's) My (　　　). 《礼を言われて》どういたしまして.
1328	satisfied 満足して	________	________	be (　　　) (　　　) my job 自分の仕事に満足している
1329	surprised 驚いて	________	________	be (　　　) (　　　) your sudden visit あなたの突然の訪問に驚く
1330	tear 涙，引き裂く	________	________	with (　　　) in her eyes 彼女の目に涙を浮かべて
1331	uneasy 不安な	________	________	feel (　　　) about my health 健康を不安に思う

月　　日

	例文の日本語訳	例文を完成しましょう
1318	彼はうれしくて飛び上がった．	He jumped (　　) (　　).
1319	彼の失敗を笑ってはいけない．	Don't (　　) (　　) his (　　).
1320	その本を読んでいるとき彼女は突然笑い出した．	She (　　) (　　) (　　) when she was reading the book.
1321	1日中1人でいて寂しくならないかい．	Don't you (　　) (　　) being on your own all day?
1322	私は散歩に出かける気分ではない．	I (　　) (　　) (　　) (　　) for a (　　).
1323	私はいつも女の子のそばでは緊張している．	I always (　　) (　　) around girls.
1324	それは残念なことだ．	That's (　　) (　　)!
1325	あなたの話は聞いて楽しい．	Your story is (　　) (　　) the (　　).
1326	私はあなたのしたことに喜んでいます．	I'm (　　) (　　) you.
1327	どういたしまして．	It's (　　) (　　).
1328	私は自分の仕事に満足している．	I (　　) (　　) (　　) my job.
1329	あなたの突然の訪問に驚いたわよ．	I (　　) (　　) (　　) your sudden visit.
1330	彼女は目に涙を浮かべて私を見た．	She looked at me (　　) (　　) (　　) her (　　).
1331	私は自分の健康を不安に思う．	I (　　) (　　) (　　) my health.

英語を書いて覚えましょう。そのあと，音声を聞いて音読しましょう。

No.	単語を2回書きましょう			ミニマル・フレーズを完成しましょう
1332	balance バランス，はかり	＿＿＿	＿＿＿	keep one's (　　　) バランスを保つ
1333	belong 所属する	＿＿＿	＿＿＿	(　　　)(　　　) the cat family 猫科に属する
1334	biology 生物学	＿＿＿	＿＿＿	take a course in (　　　) 生物学のコースをとる
1335	mathematics 数学	＿＿＿	＿＿＿	be poor at (　　　) 数学が苦手だ
1336	circle 円	＿＿＿	＿＿＿	skate in a (　　　) ぐるぐると滑る
1337	square 正方形，四角形，広場	＿＿＿	＿＿＿	a (　　　) of cloth 正方形の布きれ
1338	computer コンピュータ	＿＿＿	＿＿＿	a (　　　) programmer コンピュータのプログラマー
1339	conclusion 結論	＿＿＿	＿＿＿	reach a (　　　) 結論にたどり着く
1340	connect 接続する	＿＿＿	＿＿＿	(　　　) A to B AをBにつなぐ
1341	contemporary 現代の	＿＿＿	＿＿＿	(　　　) economic problems 現代の経済問題
1342	curve 曲線	＿＿＿	＿＿＿	draw a (　　　) 曲線を描く
1343	direct 直接の	＿＿＿	＿＿＿	(　　　) sunlight 直射日光

月　　日

例文の日本語訳	例文を完成しましょう
1332 彼はバランスを保とうとしたがひっくり返った.	He tried to (　　　) his (　　　), but he fell.
1333 ライオンは猫科に属する.	The lion (　　　)(　　　) the cat family.
1334 彼女は生物学のコースをとった.	She (　　　) a (　　　) in (　　　).
1335 彼女は数学が苦手だ.	She is (　　　)(　　　)(　　　).
1336 その女の子はぐるぐると滑った.	The girl (　　　)(　　　) a (　　　).
1337 正方形の布きれの上に小さな箱があった.	There's a small box on a (　　　)(　　　)(　　　).
1338 私はコンピュータのプログラマーになりたい.	I want to be a (　　　)(　　　).
1339 我々はやっと結論にたどり着いた.	We finally (　　　) a (　　　).
1340 彼女はガスのホースをレンジにつないだ.	She (　　　) the gas hose (　　　) the stove.
1341 私は現代の経済問題に興味がある.	I'm interested in (　　　) economic (　　　).
1342 彼は正確な曲線を描こうとしたがうまくいかなかった.	He tried to (　　　) an accurate (　　　), but he couldn't.
1343 直射日光はその植物には良くない.	(　　　)(　　　) is not good for the plant.

英語を書いて覚えましょう。そのあと，音声を聞いて音読しましょう。

No.	単語を2回書きましょう			ミニマル・フレーズを完成しましょう
1344	discover 発見する	______	______	(　　　　) a new comet 新しい彗星を発見する
1345	discovery 発見	______	______	make a (　　　　) 発見をする
1346	enable 可能にする	______	______	(　　　　) humans to go to the moon 人類が月に行くことを可能にする
1347	experiment 実験	______	______	an (　　　　) in physics 物理の実験
1348	laboratory 実験室	______	______	a chemistry (　　　　) 化学実験室
1349	focus 焦点，焦点を合わす	______	______	slightly out of (　　　　) ちょっとピンボケ
1350	information 情報	______	______	get three pieces of (　　　　) 3つの情報を手に入れる
1351	knowledge 知識	______	______	scientific (　　　　) 科学的な知識
1352	lack 不足する，不足	______	______	(　　　　) information 情報が不足している
1353	center 中心	______	______	in the (　　　　) of the city 市の中心に
1354	means 手段	______	______	a (　　　　) to the end その目的のための手段
1355	measure 対策，測定する	______	______	take (　　　　) 対策を講じる
1356	method 方法	______	______	(　　　　) for studying 研究方法

月　日

	例文の日本語訳	例文を完成しましょう
1344	彼は新しい彗星を発見した.	He (　　) a new (　　).
1345	彼らは太陽に関して重要な発見をした.	They (　　) an important (　　) about the sun.
1346	ロケットは人類が月に行くことを可能にした.	The rocket (　　) humans (　　) (　　) to the moon.
1347	私たちは毎週物理の実験がある.	We have (　　) (　　) (　　) every week.
1348	彼は今化学実験室にいますよ.	He is in the (　　) (　　) now.
1349	その写真はちょっとピンボケだった.	The picture was slightly (　　) (　　) (　　).
1350	例の新車についての３つの重要な情報を手に入れた.	I (　　) three important (　　) (　　) (　　) on that new car.
1351	私にはほとんど科学的な知識がない.	I have little (　　) (　　).
1352	彼の報告書には情報が不足している.	His report (　　) (　　).
1353	市の中心に高い塔がある.	There is a tall tower in the (　　) (　　) the (　　).
1354	その目的のための手段はたくさんある.	There are a lot of (　　) (　　) (　　) (　　).
1355	交通事故に対して対策を講じなければならない.	We must (　　) some (　　) against traffic accidents.
1356	私たちは新しい研究方法について話し合った.	We discussed new (　　) (　　) (　　).

英語を書いて覚えましょう。そのあと，音声を聞いて音読しましょう。

No.	単語を2回書きましょう			ミニマル・フレーズを完成しましょう
1357	origin 起源			the ( ) of life 生命の起源
1358	process 過程，進行			the aging ( ) 老化の過程
1359	program 計画			carry out a ( ) 計画を実行する
1360	reaction 反応			a chain ( ) 連鎖反応
1361	report 報告(する)，報道(する)			weather ( ) 気象予報
1362	research 調査(する)			do ( ) 研究を行う
1363	scientific 科学的な			a ( ) approach 科学的な研究方法
1364	separate 分離する，離れた			( ) oil from water 水と油を分離する
1365	solid 硬い，固体の，固体			frozen ( ) 凍って硬い
1366	solve 解決する			( ) a difficult problem 難しい問題を解決する
1367	classify 分類する			be ( ) as ～ ～と分類される
1368	theory 理論			( ) of relativity 相対性理論
1369	total 総計(の)			the ( ) population 総人口

月　　日

例文の日本語訳	例文を完成しましょう
1357 生命の起源は神秘的である.	The (　　) (　　) (　　) is mysterious.
1358 彼は老化の過程を研究している.	He is studying the (　　) (　　).
1359 我々は計画を実行しなければならない.	We must (　　) (　　) the (　　).
1360 それが連鎖反応を引き起こした.	It caused a (　　) (　　).
1361 気象予報によれば明日は雨だ.	According to the (　　) (　　) it'll be rainy tomorrow.
1362 彼らはがんの原因の研究を行う予定だ.	He's going to (　　) (　　) into the causes of cancer.
1363 君は科学的な研究方法をとるようになる必要がある.	You must learn to take a (　　) (　　).
1364 水と油を分離することは簡単だ.	It's simple to (　　) (　　) (　　) (　　).
1365 その池は凍って硬い.	The pond is (　　) (　　).
1366 私たちはみなその難しい問題を解決しようとした.	All of us tried to (　　) the (　　) (　　).
1367 この映画はSFに分類される.	This movie (　　) (　　) (　　) science fiction.
1368 アインシュタインの相対性理論は理解しにくい.	Einstein's (　　) (　　) (　　) is difficult to understand.
1369 日本の総人口はどのくらいですか.	What is the (　　) (　　) of Japan ?

学習ノート Unit 2

英文校閲者

Edward M. Quackenbush

表紙デザイン

(株)ひでみ企画

2021年 1 月15日 第 4 刷発行
2013年10月20日 第1刷発行

著 者 美誠社編集部
発行者 谷 垣 誠 也
印刷所 共同印刷工業㈱

発行所 有限会社 美誠社

〒603-8113 京都市北区小山西元町37番地
Tel.(075)492-5660(代表):Fax.(075)492-5674
ホームページ https://www.biseisha.co.jp

乱丁・落丁本はお取りかえいたします。
ISBN978—4—8285—3262—2